Jocelyne Robert

Illustrations de Jean-Nicolas Vallée

ma sexualité

de 9 à 11 ans

LES ÉDITIONS DE L'HOMME

Catalogage avant publication de
Bibliothèque et Archives nationales du Québec et
Bibliothèque et Archives Canada

Robert, Jocelyne

Ma sexualité de 9 à 11 ans

Nouvelle édition.

Publié antérieurement sous le titre : Je découvre ma
sexualité. © 1986.
Publié à l'origine dans la collection : Feu vert. Sexualité

1. Éducation sexuelle - Ouvrages pour la jeunesse.
2. Éducation sexuelle - Problèmes et exercices -
Ouvrages pour la jeunesse. I. Titre. II. Titre : Ma
sexualité de neuf à onze ans. III. Titre : Je découvre
ma sexualité.

HQ53.R62 2003   j613.9'51   C2003-940182-0

Pour en savoir davantage sur nos publications,
visitez notre site : **www.edhomme.com** .
Autres sites à visiter : www.edjour.com
www.edtypo.com • www.edvlb.com
www.edhexagone.com • www.edutilis.com

DISTRIBUTEURS EXCLUSIFS :

• Pour le Canada et les États-Unis :
MESSAGERIES ADP*
2315, rue de la Province
Longueuil, Québec J4G 1G4
Tél. : 450 640-1237
Télécopieur : 450 674-6237
* une division du Groupe Sogides inc.,
  filiale du Groupe Livre Quebecor Média inc.

• Pour la France et les autres pays :
INTERFORUM editis
Immeuble Paryseine, 3, Allée de la Seine
94854 Ivry CEDEX
Tél. : 33 (0) 4 49 59 11 56/91
Télécopieur : 33 (0) 1 49 59 11 33
Service commandes France Métropolitaine
Tél. : 33 (0) 2 38 32 71 00
Télécopieur : 33 (0) 2 38 32 71 28
Internet : www.interforum.fr
Service commandes Export – DOM-TOM
Télécopieur : 33 (0) 2 38 32 78 86
Internet : www.interforum.fr
Courriel : cdes-export@interforum.fr

• Pour la Suisse :
INTERFORUM editis SUISSE
Case postale 69 – CH 1701 Fribourg – Suisse
Tél. : 41 (0) 26 460 80 60
Télécopieur : 41 (0) 26 460 80 68
Internet : www.interforumsuisse.ch
Courriel : office@interforumsuisse.ch
Distributeur : OLF S.A.
ZI. 3, Corminboeuf
Case postale 1061 – CH 1701 Fribourg – Suisse
Commandes : Tél. : 41 (0) 26 467 53 33
                  Télécopieur : 41 (0) 26 467 54 66
                  Internet : www.olf.ch
                  Courriel : information@olf.ch

• Pour la Belgique et le Luxembourg :
INTERFORUM editis BENELUX S.A.
Boulevard de l'Europe 117,
B-1301 Wavre – Belgique
Tél. : 32 (0) 10 42 03 20
Télécopieur : 32 (0) 10 41 20 24
Internet : www.interforum.be
Courriel : info@interforum.be

11-07

© 2003, Les Éditions de l'Homme,
une division du Groupe Sogides inc.,
filiale du Groupe Livre Quebecor Média inc.
(Montréal, Québec)

Dépôt légal : 2003
Bibliothèque et Archives nationales du Québec

ISBN 978-2-7619-1801-5

Gouvernement du Québec – Programme de crédit d'impôt pour
l'édition de livres – Gestion SODEC – www.sodec.gouv.qc.ca

L'Éditeur bénéficie du soutien de la Société de développement des
entreprises culturelles du Québec pour son programme d'édition.

Nous reconnaissons l'aide financière du gouvernement du Canada
par l'entremise du Programme d'aide au développement de l'indus-
trie de l'édition (PADIÉ) pour nos activités d'édition.

PRÉFACE

Ce livre est le produit de l'amour et du respect indéniables que l'auteur porte aux enfants, aux parents et à la jeunesse. Il est le témoignage du droit qu'elle reconnaît aux jeunes de se découvrir, de se vivre pleinement dans tout leur être bio-psycho-sexo-social. Le contenu de ces pages interpelle l'enfant et l'amène, par des historiettes, des exercices et des dessins, à se mieux définir, à apprendre et à trouver à ses questions des réponses satisfaisantes.

Aussi, à vous parents, parfois dépourvus de mots devant les questions de vos enfants, je dis : feuilletez ce livre, utilisez-le avec votre jeune et n'hésitez pas à consulter l'auteur au besoin.

Pour tous, ce livre sera un outil de soutien incomparable en éducation à la sexualité ; il était désiré et s'avérera respectueux du développement psychosexuel de l'enfant. Je souhaite que la franchise de l'information vous aide et donne lieu à de riches réflexions.

DENISE BADEAU
spécialiste en éducation et professeur
au département de sexologie à l'UQÀM

3

À Léo, Alice, Émile
À toi

4

PRÉAMBULE

Salut !

Je suis heureuse de te retrouver pour continuer avec toi le voyage que nous avons entrepris ensemble au pays de ton corps et de ta sexualité.

Te voilà grandi. Tu es maintenant un enfant prépubère, un pré-ado peut-être… Tu entreras bientôt dans une période de grandes transformations. Cette période, on l'appelle la puberté. Peut-être même as-tu déjà remarqué chez toi des changements qui sont des signes de la puberté. C'est de cela surtout que nous allons parler et, bien sûr, d'autres questions sur la sexualité qui te préoccupent et t'intéressent, j'en suis certaine.

J'espère que tu prendras plaisir à faire les exercices que je te propose et à remplir ce livre de tes émotions à toi.

Je te souhaite, non pas une bonne lecture, mais une bonne route. Je t'accompagne.

Jo

5

P.-S.   Le lexique de la page 57 t'aidera à comprendre, au fil des pages, le sens des mots nouveaux. Je te suggère fortement, pour une meilleure compréhension, de revoir les chapitres 2 et 4 du livre *Ma sexualité de 6 à 9 ans.*

Nous verrons...

CHAPITRE 1

C'EST CHOUETTE ET C'EST BON D'ÊTRE UNE FILLE OU UN GARÇON

La principale distinction entre un garçon et une fille, on l'a vu dans le livre *Ma sexualité de 6 à 9 ans,* c'est qu'ils ont un sexe différent. Pourtant, bien d'autres signes nous amènent à identifier un garçon ou une fille : les goûts, le timbre de la voix, le prénom ou...

_____

_____

L'autre jour, j'entendais Naomie dire à Kevin que les filles sont plus chanceuses que les gars parce qu'elles ont un plus grand choix de vêtements, de coiffures et de *looks*. De son côté, il prétendait que les garçons sont favorisés parce qu'ils sont plus forts physiquement.

Chez moi, comme fille ☐ ou comme garçon ☐,
ce que j'aime le plus, c'est :

_____

_____

_____

_____

_____

_____

Ce que j'aime le moins, c'est :

_____

_____

_____

_____

Quelles sont les choses que seule une fille peut faire ?

_____

_____

_____

_____

Quelles sont les choses que seul un garçon peut faire ?

_____

_____

_____

_____

En y regardant de près, on constate que peu de choses sont véritablement réservées à l'un ou à l'autre sexe.

Filles et garçons peuvent :

o   étudier ;
o   danser ;
o   tondre le gazon ;
o   faire de la musique ;
o   faire du sport ;
o   cuisiner ;
o   avoir un « chum » ou une « blonde » ;

et aussi :

_____

_____

_____

Plus tard, lui et elle pourront :

o   prendre soin des bébés ;
o   gagner de l'argent ;
o   voyager ;
o   avoir un amoureux ou une amoureuse ;
o   exercer un métier intéressant ;

et aussi :

_____

_____

« C'EST L'FUN D'ÊTRE UNE FILLE. C'EST L'FUN D'ÊTRE UN GARÇON. »

Les filles ne sont pas plus des «pleurnicheuses» que les gars des «durs à cuire». C'est une image qu'on a voulu donner, ça n'est pas la réalité.

Par exemple, une fille ne devrait pas s'empêcher de jouer au football si elle en a envie. Ce qui la décourage, c'est souvent l'attitude des garçons qui se moquent d'elle quand elle veut participer à ce type de jeu.

L'inverse est aussi vrai. Les filles raillent parfois les garçons qui s'intéressent à des activités qu'on dit de filles, telles que danser, faire la cuisine, dorloter les bébés, etc.

Que dire des filles qui se ridiculisent entre elles et des garçons qui en font autant parce que l'un ou l'autre des leurs apprécie les activités couramment réservées à l'autre sexe?

Les garçons sont capables de tendresse et de douceur; les filles sont capables d'agressivité et de force.

Je donne un exemple de comportement sexiste♟♟:

_____

_____

11

Je donne un exemple de comportement égalitaire:

_____

_____

_____

♟♟ Sexiste: Qui est propre au sexisme, attitude qui vise à imposer la discrimination, la séparation, à l'égard d'un des deux sexes, à le traiter moins bien que l'autre. Ce qui est sexiste est injuste, car les deux sexes ne sont pas perçus de façon égale.

Il n'y a que des avantages à s'ouvrir à un vaste éventail de comportements. Un garçon qui est bon joueur de hockey et qui est capable de préparer un repas est avantagé par rapport à celui qui ne cuisine pas. Une fille qui se soucie autant de bâtir sa carrière que de bien danser est favorisée par rapport à celle qui néglige de penser à sa profession.

✦ Profession : Occupation, travail que l'on exerce par choix. Bâtir sa carrière : penser et prévoir ce que l'on fera plus tard comme travail.

CHAPITRE 2

LE CORPS : QUEL BEAU MOTEUR DE TRANSFORMATION !

Tout au long de la vie, le corps se transforme. Certaines étapes sont cependant plus riches en changements de toutes sortes. La puberté est l'un de ces moments de grande effervescence : le corps et l'esprit deviennent alors des moteurs de transformation de toute la personne. On peut dire que la puberté, c'est la période où l'on cesse d'être un enfant. C'est le moment où les organes sexuels se préparent à fonctionner comme ceux des adultes. C'est le début de l'adolescence.

Avec la puberté, qui survient vers 12 ans (parfois plus tôt, parfois plus tard), tu changes, tant dans ton corps que dans ta façon de voir les choses. Des mécanismes naturels, à l'intérieur de ton organisme, entraînent des modifications que tu ne peux voir. Puis, tu constates que ton corps prend graduellement une nouvelle image. Chez la fille comme chez le garçon, le corps se redessine. Cela ne se fait pas du jour au lendemain, mais s'échelonne sur plusieurs années de croissance.

13

Effervescence : Agitation, résultat des mécanismes qui s'activent à l'intérieur de toi.

« TOUT AU LONG DE LA VIE, LE CORPS SE TRANSFORME. »

tu te situes peut-être ici

ou ici...

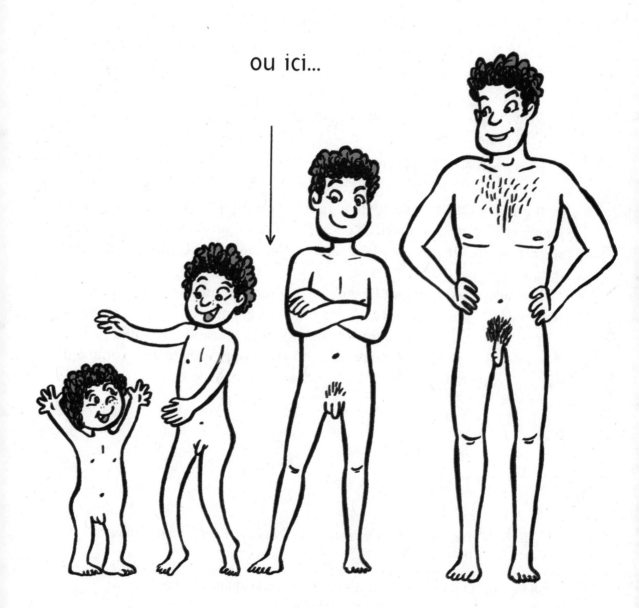

La puberté chez la fille

Les principaux signes visibles de la puberté sont :

- o   le gonflement des aréoles^{♦♦} et l'apparition graduelle des seins ;
- o   l'apparition de poils au pubis^{♦♦}, sur les grandes lèvres de la vulve, puis aux aisselles ;
- o   l'élargissement du bassin (hanches et fesses) et l'amincissement de la taille ;
- o   l'arrivée de la menstruation.

Il arrive qu'un sein se mette à grossir avant l'autre. Il ne faut pas s'en inquiéter ni surtout s'imaginer qu'on en aura qu'un ; cela est fréquent. Le second ne tardera pas à en faire autant et atteindra rapidement le volume du premier.

Il se peut aussi qu'avant l'arrivée de la première menstruation, la fillette remarque qu'elle a davantage de sécrétions vaginales^{♦♦}. Elle s'en aperçoit à sa petite culotte qui est humide, ainsi qu'à la sensation agréable «d'être mouillée» à la vulve. Cette lubrification est propre et naturelle, comme il est naturel de transpirer ou d'avoir de la salive dans la bouche.

16

♦♦ Aréole : Cercle de peau de couleur plus foncée qui entoure le mamelon, le bout du sein.
♦♦ Pubis : Région en forme de triangle située entre les aines et le ventre.
♦♦ Sécrétion vaginale : Substance plus ou moins liquide qui humecte le vagin et la vulve.

« Ton corps se redessine au moment de la puberté. »

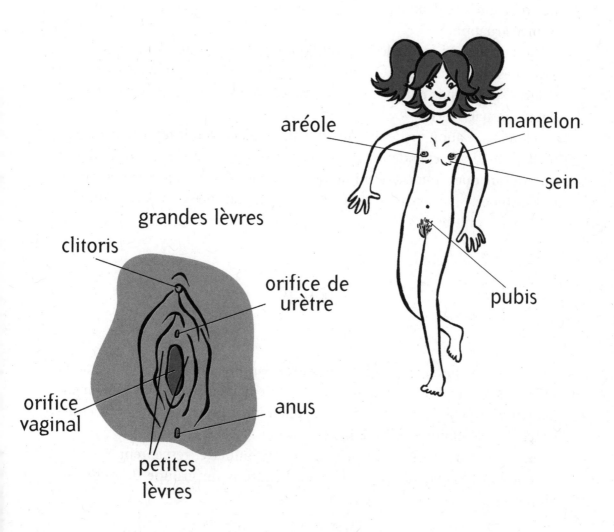

aréole

mamelon

sein

grandes lèvres

clitoris

orifice de urètre

pubis

orifice vaginal

anus

petites lèvres

La première menstruation

La menstruation consiste en l'écoulement, par le vagin, d'une certaine quantité de sang mêlé d'eau. Elle dure quatre ou cinq jours et revient chaque mois.

La menstruation, aussi appelée règles, n'est pas dangereuse. Pour plusieurs, elles n'est pas douloureuse. La jeune fille ou la femme peut ressentir une sensation de lourdeur ou d'inconfort dans la région du ventre ou des reins ou aux deux endroits à la fois, juste avant ou le premier jour de la menstruation.

Le fait d'avoir tes règles indique que ton organisme fonctionne bien, que tu es normale et en bonne santé. Ce phénomène signifie aussi que tes ovaires se sont mis à libérer des ovules, ces petits œufs qui sont là, en toi, depuis ta naissance.

La menstruation ne t'empêche nullement d'accomplir tes activités habituelles. Tu dois cependant prévoir l'utilisation de serviettes hygiéniques durant quelques jours. Les minitampons sont plus pratiques en certaines circonstances, par exemple pour la baignade. Les deux sont confortables et faciles à utiliser.

Dans certains pays, la première menstruation de la fille est célébrée de la même façon que l'on fête un anniversaire de naissance ou tout événement heureux. Je pense que souligner un phénomène qui symbolise la croissance et la féminité, c'est une belle coutume.

Beaucoup de filles, à l'approche de leur puberté, ressentent des sentiments où la gêne se mêle à la joie. Écoutons un groupe d'amies qui en parlent.

Vanessa (10 ans)

... Moi, j'ai pas de seins, j'suis plate comme une galette. Les gars ne me regardent même pas... Dans ma classe, l'an passé, y'avait une fille qui avait déjà ses règles et elle avait juste neuf ans!

Véro (12 ans)

Comme dirait ma mère, elle était précoce, c'est tout! Moi, j'ai eu ma première menstruation il y a quelques mois. On s'habitue. Ce qui me gêne, c'est qu'avec mes jeans serrés, j'ai toujours peur que ça paraisse que je porte une serviette sanitaire... J'veux pas que les gars le sachent quand j'ai mes règles; ils se moqueraient de moi..., ils sont tellement bébés. Puis, j'trouve ça *cool*, j'suis rendue aussi grande que ma mère.

Karine (11 ans)

Oui, mais ta mère, elle est pas bien grande. Moi, j'te trouve chanceuse de pas avoir de seins, Vanessa. C'est moins pire que d'en avoir rien qu'un comme moi. Ça fait des mois que c'est comme ça. Tu te rends compte; j'ai l'air d'un monstre. J'suis grande comme une fille de 13 ans, j'suis maigre et puis j'ai rien qu'un sein...

Véro

Oui, mais t'inquiète pas; l'autre va finir par grossir. Ça s'est passé comme ça pour ma sœur. J'me rappelle, elle avait un « chum » et puis elle pensait qu'il avait cassé à cause de ça... Pendant des semaines, elle est restée enfermée dans sa chambre, elle voulait plus sortir. Faut dire qu'elle, elle avait presque 14 ans... Son ex, y'était assez beau, il me faisait penser à Simon... Hé! En parlant de lui, allez-vous à la fête qu'il organise vendredi?

Catherine (9 ans)

J'suis même pas invitée! Moi, j'suis juste invitée dans les soirées de bébés.

Karine

T'es trop jeune. On va être une *gang* de 6e année, puis juste quelques-uns de 5e... Ah! oui, j'ai entendu dire qu'il y aurait des gars de secondaire I. Wow!

Mais Véro ne suit plus la conversation de ses amies. Elle imagine les vêtements qu'elle portera, la façon dont elle se coiffera, les CD qu'elle apportera au *party* de Simon. Elle se promet bien de ne pas oublier d'apporter sa musique préférée. Elle l'a achetée la fin de semaine dernière. Simon, elle le trouve si fin, si *full* beau, si bien habillé, si gentil, si... Quant elle se met à penser à lui, elle n'entend plus rien autour d'elle. Elle craque pour son *look*.

Comment Véro se sent-elle présentement ?
Décris ce qu'elle ressent :

 . à l'approche du *party* de Simon ;
 . pour Simon.

_____

_____

_____

_____

_____

_____

_____

_____

_____

_____

_____

_____

« QUATRE FILLES CAUSENT DES PREMIÈRES
RÈGLES ET... DES GARÇONS. »

La puberté chez le garçon

Les principaux signes extérieurs de la puberté chez le garçon sont :

- o l'apparition de poils au pubis, ensuite au-dessus de la lèvre supérieure et aux aisselles ;
- o l'augmentation de la taille des organes génitaux (pénis et testicules) ;
- o l'élargissement des épaules et la baisse du timbre de la voix (celle-ci devient plus grave) ;
- o la première éjaculation.

La première éjaculation

L'éjaculation consiste en l'écoulement, par le pénis, d'un liquide opaque et blanchâtre qui ressemble à du blanc d'œuf cru : c'est ce qu'on appelle le « sperme ».

L'éjaculation peut survenir spontanément, la nuit pendant le sommeil ou à la suite de caresses aux organes génitaux. C'est un phénomène naturel qui survient automatiquement à un moment donné, même s'il n'est ni voulu ni recherché.

Avec l'éjaculation, le garçon découvre de nouvelles sensations qu'il considère habituellement plaisantes et relaxantes. Si le pénis est stimulé, une érection ⚰ peut apparaître, suivie d'une éjaculation. La première éjaculation survient vers l'âge de 12 ans, parfois plus tôt, parfois plus tard.

⚰ Érection : Durcissement et gonflement du pénis sous l'effet de l'excitation sexuelle. Le pénis grandit parce que le sang s'accumule dans ses tissus internes. L'érection peut apparaître sans que le pénis ne soit directement stimulé.

« IL SE PASSE DES CHOSES DANS TON CORPS ET À L'INTÉRIEUR DE TOI. »

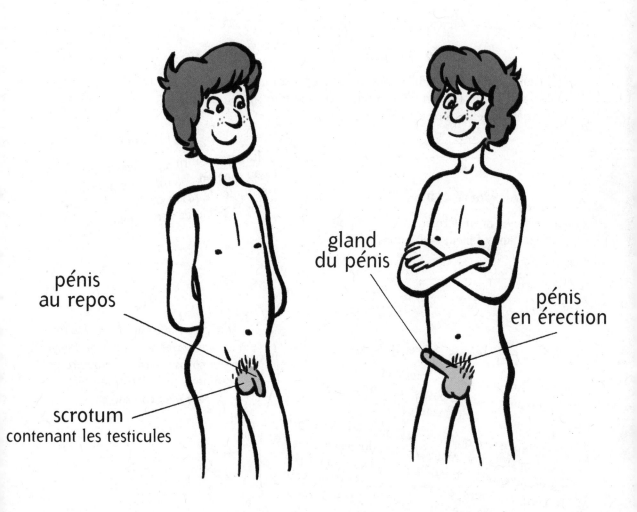

pénis
au repos

scrotum
contenant les testicules

gland
du pénis

pénis
en érection

Le sperme contient, bien sûr, des spermatozoïdes, ces petites graines de semence que tes testicules fabriquent maintenant.

Certains peuples, de culture différente de la nôtre, soulignent la première éjaculation du garçon par toutes sortes de rituels et de festivités.

Chez le garçon, le passage de la puberté comporte aussi des sentiments mêlés de gêne et de joie.

Voyons donc ce que Simon et sa bande en pensent.

Simon (12 ans)

Hé! Paul. Tu sais, quand Philippe a téléphoné chez ma tante, l'autre jour, eh bien! elle l'a pris pour une fille avec sa petite voix. S'il savait ça... Ha! Ha!

Paul (11 ans)

Tu peux ben rire, toi, avec tes deux poils au menton. J'comprends pourquoi tu empruntes le rasoir de ton père. C'est pas la peine de t'en acheter un...

Alexandre (10 ans)

Ouais! Moi, je l'ai vu dernièrement, Philippe. Y fait dur, y'é plein de boutons...

Paul

Oui, puis ma sœur dit qu'il a l'air d'un singe avec ses bras trop longs pour son corps. J'aime mieux être petit comme je suis plutôt que d'être arrangé comme ça.

Éric (9 ans, frère de Paul)

Oui, oui... t'aimes mieux être petit... c'est pour ça que tu passes tes soirées à lever des haltères!

T'es jaloux parce qu'Annie (12 ans) sort avec François (14 ans). Lui au moins y'a des muscles et puis y'é plus grand qu'elle... Hein! Paul? Vous me faites rire. J'espère que j'aurai pas l'air « nono » comme vous autres à votre âge. J'suis sûr qu'à 11 ans j'vais avoir l'air d'un homme, MOI...

Simon, lui, est dans la lune. Il pense que ce qui le préoccupe le plus, présentement, ce n'est ni la petite voix, ni les boutons de Philippe, ni les mini-muscles de Paul, ni ses propres poils au menton. Ce qui le gêne, c'est son pénis qui, depuis quelques semaines, bondit, durcit et le fait se réveiller la nuit, mouillé de sperme.

Simon est embarrassé, non pas parce que son pénis durcit, il sait que c'est normal; ce qu'il craint, c'est qu'on le voie dans cet état et qu'on se moque de lui. Au fond, il aimerait bien parler avec quelqu'un de ce qui se passe en lui, de ces sensations nouvelles, si plaisantes et en même temps si troublantes...

Mais à qui s'informer? se demande-t-il.
Que lui suggères-tu? Pourquoi?

_____

_____

_____

_____

_____

_____

_____

_____

_____

_____

_____

L'éveil sexuel

La puberté, chez les deux sexes, s'accompagne d'une sorte d'éveil des organes génitaux.

Cela ne veut pas dire qu'avant cet âge la sexualité est tout à fait endormie. Avec la puberté, certaines hormones♂♀ dans le sang augmentent considérablement et cette activité interne amène le garçon et la fille à prendre davantage conscience de leurs organes sexuels. Ainsi, la fille remarquera que son vagin se lubrifie (sensation d'être mouillée). Cette réaction se produira en particulier lorsqu'elle est excitée sexuellement, par exemple au contact de son petit ami ou simplement en y pensant. Ce nouveau phénomène, bien qu'agréable, pourra la rendre mal à l'aise si elle ne comprend pas ce qui se passe en elle.

Pour sa part, le garçon identifiera plus nettement certaines sensations localisées à ses organes génitaux. Il associera ses érections à une excitation sexuelle et pourra être gêné de cette réaction tout à fait naturelle.

La puberté, c'est le début de l'adolescence. C'est une étape où l'on se sent parfois inconfortable dans un corps qui n'est plus celui d'un enfant sans être encore celui d'un adulte.

Ton corps, qui se transformera tout au long de l'adolescence, te renverra une nouvelle image de toi. Cette image ne te réjouira pas toujours : boutons, voix, membres qui paraissent trop longs pour le tronc, etc.

Rassure-toi, c'est passager.

♂♀ Hormones : Produits chimiques de l'organisme qui exercent une action sur un organe ou sur des tissus du corps humain.

Tes préoccupations d'enfant cèdent le pas à de nouveaux centres d'intérêt. Tu demeures fidèle à ta *gang* de filles ou de garçons, mais l'attrait pour ceux ou celles de l'autre sexe se manifeste plus clairement. Tu veux vérifier que tu plais, que tu séduis. Tu désires tout partager avec ton groupe : les mêmes vêtements, les mêmes activités, la même musique, les mêmes jeux vidéo. Tu veux te rapprocher, découvrir l'autre... toutes ces manifestations indiquent que tu grandis, que tu te développes.

Il est aussi possible que tu découvres, dès cet âge, que tu es attiré par ceux ou celles de ton sexe.

Avec la puberté, filles et garçons deviennent capables de procréer. L'union d'un ovule et d'un spermatozoïde peut occasionner une grossesse, et cela même si l'on n'a que 12 ou 13 ans.

« TON CORPS N'EST PLUS CELUI D'UNE ENFANT, SANS ÊTRE ENCORE CELUI D'UNE ADULTE. »

« CETTE NOUVELLE IMAGE DE TOI NE TE
RÉJOUIT PAS TOUJOURS.
ET TU TE CHERCHES UN LOOK BIEN À TOI. »

Je peux identifier, chez moi ☐, chez une amie ☐,
les signes extérieurs de la puberté :

_____

_____

_____

Le principal phénomène qui accompagne la puberté
chez la fille est :

_____

Je peux identifier, chez moi ☐, chez un ami ☐,
les signes extérieurs de la puberté :

_____

_____

_____

Le principal phénomène qui accompagne la puberté
chez le garçon est :

_____

Si je suis pubère, est-ce que je suis à l'aise avec
ma puberté?

_____

_____

_____

Si je ne suis pas pubère, est-ce que je suis à l'aise à l'idée
de ma puberté prochaine?

_____

_____

_____

_____

Je dis, en mes mots, ce qu'est la puberté:

_____

_____

_____

_____

_____

_____

« Dans certaines cultures, le passage de la puberté est célébré. On pourrait nous aussi en faire une belle fête, si on le voulait. **»**

« DES CHOCOLATS QUI VEULENT SÉDUIRE ET DIRE : TU ME PLAIS. »

CHAPITRE 3

LE CORPS : IL PARLE ET IL RIT

À ton âge

Il y a plusieurs façons d'être une fille ou un garçon. Il y a plusieurs façons d'exprimer sa sexualité de fille ou de garçon.

On le fait avec les sentiments : la tendresse, l'amitié, l'amour…

On le fait avec ses gestes de tous les jours, par exemple lorsqu'on se sent bien dans son groupe d'amis ou d'amies du même sexe.

On le fait aussi par ses comportements sexuels : taquiner, embrasser, tenir la main, inviter au cinéma, avoir un « chum » ou une « blonde ». On le fait aussi quand on rêve à son idole, quand on pense à ceux et à celles qu'on trouve beaux et belles, et avec qui on aimerait être. On dit les choses avec les mots ou avec les gestes ; cela s'appelle quand même de la communication. Voici un exemple qui illustre une communication non verbale.

Après la classe, Charlotte prend l'autobus scolaire pour rentrer à la maison. Elle s'assoit toujours près de Jules et, lorsqu'elle a des chocolats, elle lui en offre, *et à lui seul.* Elle sait que Jules adore les chocolats. Elle est heureuse d'être tout près de lui.

Les chocolats que Charlotte offre à Jules veulent dire : « Tu me plais ! » Sans doute trouve-t-elle plus facile de le dire avec les chocolats plutôt qu'avec des mots. Le petit moment qu'ils passent ensemble, sur un banc d'autobus, est un moment très agréable, très doux pour ces « amoureux ».

Ils prennent plaisir à se rapprocher l'un de l'autre, et cela, que Charlotte ait ou non des chocolats !

Le jour de l'anniversaire de Delphine (10 ans), une petite fête est organisée ; tous ses amis et ses amies sont là.

Arrive Guillaume (11 ans) que le frère de Delphine a invité sans que celle-ci n'en sache rien. Il l'a fait, parce qu'il sait que sa sœur trouve Guillaume super beau ; il sait aussi que Guillaume capote sur Delphine. Ils se plaisent quoi !

Lorsque Guillaume offre des fleurs à Delphine, elle devient rouge comme une tomate et retourne vite danser avec sa bande, plantant là cet invité inattendu...

Pourtant, lorsqu'elle reçoit des présents de quelqu'un d'autre, elle fait la bise, simplement, pour remercier... Elle se comporte normalement...

Je termine cette historiette.
Que va-t-il se passer maintenant ?

_____

_____

_____

_____

_____

_____

Que fera Guillaume ?

_____

_____

_____

Que ferais-tu à sa place ?

_____

_____

_____

À la place de Delphine ?

_____

_____

_____

Pourquoi Delphine a-t-elle agi différemment avec Guillaume ?

_____

_____

_____

Aurais-tu agi différemment de Delphine ? Comment ?

_____
_____
_____
_____

Que crois-tu que Guillaume a pensé ?

_____
_____
_____
_____
_____

38

Pourquoi Delphine a-t-elle rougi ?

_____
_____
_____
_____

As-tu identifié un geste de séduction ? Lequel ?

_____

_____

_____

Peut-on avoir un « chum » ou une « blonde » à 10 ou
11 ans ? Pourquoi ?

_____

_____

_____

_____

_____

_____

_____

_____

_____

_____

_____

Je décris un comportement sexuel (geste de séduction ou autre) que j'ai vécu et que j'ai trouvé agréable :

_____

_____

_____

_____

_____

_____

J'invente un comportement sexuel (geste de séduction ou autre) que j'aimerais vivre :

_____

_____

_____

_____

_____

_____

Je dessine ce scénario.

À l'âge adulte

Des moments de plaisir liés aux rencontres avec des personnes qui nous plaisent, on en vit à tout âge. Cependant, les amoureux parlent et rient différemment selon qu'ils sont adultes, adolescents ou enfants.

Les adultes qui se plaisent et qui se choisissent ont envie de se rapprocher un peu plus encore, d'être tout près l'un de l'autre. Lorsque les corps se touchent, se caressent, se donnent des baisers, se font mille plaisirs, on dit que les gens «font l'amour». Cette gestuelle signifie qu'à travers le corps de l'autre, c'est toute sa personne que l'on caresse et que l'on aime.

Pour être plus près l'un de l'autre, l'homme et la femme unissent, s'ils le désirent, leurs organes génitaux: c'est un comportement sexuel qui inclut la génitalité.

Lors de cette rencontre sexuelle, le pénis de l'homme se glisse dans le vagin de la femme et, tu l'auras deviné, il devient possible de faire un enfant. À peu d'exceptions près, nous avons tous et toutes été conçus au moment de cette caresse qui est très agréable lorsque les deux partenaires la désirent.

Cependant, les hommes et les femmes font aussi l'amour par plaisir et pour le plaisir. On pourrait dire qu'ils se donnent du plaisir par amour. Les relations sexuelles adultes, la plupart du temps, ne visent donc pas la procréation. Tu imagines bien que, si tes parents faisaient un bébé chaque fois qu'ils font l'amour, tu aurais sans doute toute une ribambelle de frères et de sœurs!

« TES PARENTS NE FONT PAS UN BÉBÉ CHAQUE FOIS QU'ILS FONT L'AMOUR. »

Les hommes et les femmes se rapprochent sexuellement parce que c'est une façon agréable de se dire des choses avec le corps. Ils participent au même jeu, au même plaisir.

C'est bon, et rire, ça fait du bien. Dans la rencontre sexuelle, c'est un peu comme si tout le corps, à sa façon, se mettait à rire...

Les adultes y redeviennent comme des enfants en vacances; ils se cajolent, sont tout excités, émettent des sons parfois amusants, parfois bizarres, et leur respiration devient toute différente...

Il m'est arrivé de rencontrer des enfants de ton âge qui étaient un peu bouleversés d'avoir «vu» ou «entendu» une relation sexuelle adulte. Toi, ainsi avisé, tu comprendras, s'il t'arrive par mégarde ou par hasard de la «voir» ou de l'«entendre», qu'il n'y a pas lieu de t'inquiéter et que ces adultes se font du bien.

« DANS LA RENCONTRE SEXUELLE, L'HOMME ET LA FEMME PARTICIPENT AU MÊME JEU, AU MÊME PLAISIR. »

Le pourquoi de ta naissance

Il existe des moyens, pour les adultes, de vivre l'intimité sexuelle sans que la femme devienne enceinte. Les hommes et les femmes qui ne désirent pas d'enfants ou qui souhaitent espacer les naissances ont habituellement recours à des moyens de contraception.

Dans notre culture, il appartient à chaque individu d'avoir un ou plusieurs enfants ou de décider de ne pas en avoir. Le fait de rendre la sexualité reproductrice résulte donc de la décision de la femme et de l'homme qu'il en soit ainsi.

Tu es venu au monde parce que tes parents ont choisi et décidé de t'avoir ou parce que seule ta mère a choisi qu'il en soit ainsi. Tous les enfants ont un père et une mère bien que plusieurs vivent avec un seul des deux. Il t'appartiendra, plus tard, de décider d'avoir ou non un ou des enfants.

Je pense que les parents décident d'avoir un ou des enfants parce que :

_____

_____

Je pense qu'on peut décider de ne pas avoir d'enfant parce que :

_____

_____

Certaines personnes, hommes et femmes, sont attirées par d'autres du même sexe. On dit alors qu'ils ou elles sont homosexuels ou homosexuelles. Ces hommes et ces femmes ont une orientation sexuelle homosexuelle plutôt qu'hétérosexuelle. Ils recherchent l'amour, la tendresse, le plaisir et le respect comme tous les êtres humains.

« CERTAINES PERSONNES SONT ATTIRÉES PAR CEUX OU CELLES DE LEUR SEXE. »

CHAPITRE 4

LE CORPS COMME UN AIMANT : ATTIRÉ ET ATTIRANT

Chaque personne est unique. Elle possède son caractère, sa personnalité et ses caractéristiques physiques, qui plaisent plus ou moins à d'autres personnes.

Tu possèdes un corps unique, tu as un caractère, des capacités et des limites qui te sont propres. Certains aspects de toi séduisent d'autres individus ; d'autres facettes de toi plaisent moins.

Je décris les choses qui me plaisent le plus chez moi.
Dans mon corps :

_____

_____

_____

_____

Dans mon caractère :

_____

_____

_____

_____

_____

Je décris les choses qui me plaisent le moins chez moi.
Dans mon corps :

_____

_____

_____

_____

Dans mon caractère :

_____

_____

_____

_____

_____

48

J'identifie, chez un ami ☐, chez une amie ☐ qui me
plaît, ce que je trouve attirant en lui ou en elle :

_____

_____

_____

_____

J'identifie, chez quelqu'un qui me déplaît, ce que je n'aime pas en lui ☐ ou en elle ☐ :

_____

_____

_____

Bien sûr, les éléments qui nous plaisent chez un individu nous le rendent attirant. Notre capacité d'apprécier une personne varie, selon que celle-ci possède ou non les qualités que l'on juge plaisantes. Tout cela part de nos goûts personnels.

Tu as sans doute remarqué que tu choisis tes amis et amies en fonction de tes goûts à toi. Les êtres humains se rapprochent à partir de leurs besoins, de leurs goûts, de leurs attentes d'autrui. Dans les relations que l'on privilégie, on se donne des marques d'attention et d'affection :

o   un sourire ;

o   un baiser ;

o   un bonjour ;

o   un service ;

o   un jeu ;

o   un travail en commun.

49

_____

_____

_____

On établit des relations avec différentes personnes, mais aucune de ces relations n'est tout à fait pareille.

HISTORIETTE

Pour un travail d'équipe, à l'école, Alexandre demande à Martin s'il voudrait faire une recherche avec lui. Alexandre aime le dynamisme de Martin, ses idées, son humour et surtout son assurance lorsqu'il parle. Ensemble, ils décident que leur travail portera sur les planètes. Alexandre est fier que Martin ait accepté de faire équipe avec lui. Avec Martin, pense-t-il, il ne s'ennuiera pas à faire ce travail...

Comment appellerais-tu le sentiment qu'Alexandre éprouve pour Martin ?

_____

_____

Crois-tu qu'Alexandre s'efforcera de mieux travailler parce qu'il fait équipe avec Martin ? Pourquoi ?

_____

_____

Peux-tu identifier un ami ou une amie pour qui tu ressens un sentiment semblable à celui d'Alexandre pour Martin ?

_____

_____

_____

_____

_____

Explique en tes mots ce que tu ressens quand tu es avec cette personne ?

_____

_____

_____

_____

J'identifie ce qui différencie la relation que j'ai avec ma famille de celle que j'ai avec mes amis de l'un ou de l'autre sexe :

_____

_____

J'identifie ce qui différencie la relation que j'ai avec les filles par rapport à celle que j'ai avec les garçons :

_____

_____

_____

_____

_____

_____

J'identifie ce qui différencie la relation que j'ai avec _____ de celle que j'ai avec _____ :

_____

_____

_____

_____

_____

_____

_____

La face sombre de la sexualité

Il arrive que certaines personnes veuillent profiter des autres. Cela arrive entre enfants, entre adultes, entre adultes et enfants. On peut vouloir profiter des autres sur plusieurs plans : affectif, matériel, sexuel ou autres… Certains adultes sont attirés par les enfants et s'en approchent dans le but d'obtenir d'eux des faveurs sexuelles. Il peut arriver à n'importe quel enfant ou adolescent d'être sollicité sexuellement[⚥] par un adulte ou par un adolescent. L'important, c'est de savoir que cela existe, de ne pas paniquer si cela t'arrive et d'exercer ta responsabilité dans une telle situation. Si un individu que tu juges suspect ou louche, qu'il soit de ton sexe ou de l'autre sexe, t'aborde en t'offrant de l'argent, des friandises, ou d'aller au cinéma, ou simplement de te reconduire, sans doute vaudrait-il mieux que tu te méfies et que tu t'en éloignes.

Maintenant, tu te connais mieux, tu te sais attirant pour d'autres personnes ; tu sais que tu peux aussi attirer quelqu'un qui voudrait se servir de toi. C'est ta liberté et ta responsabilité, que tu exerces déjà, de décider quoi faire en de telles circonstances.

Aucun adulte, homme ou femme, n'a le droit de profiter de toi contre ta volonté quand bien même cet adulte serait un proche parent (ton père, un oncle, etc.), un ami ou une amie de la famille.

Si tu vis une telle situation, n'hésite pas à en aviser une personne en qui tu as confiance ou un organisme qui peut te venir en aide.

⚥ Sollicitation sexuelle : Action de s'approcher d'une personne dans le but de lui proposer des activités sexuelles génitales.

Tel-Jeunes :	(514) 288-2266
	1 800 263-2266
Jeunesse j'écoute :	1 800 668-6868

Tu peux également t'adresser à quelqu'un de ton école, parmi les enseignants ou les infirmières, ou au CLSC le plus près de chez toi.

⚭ ⚭ ⚭

Certes, tous les adultes ne sont pas des profiteurs. Tu ne dois pas confondre le bisou de Noël de l'oncle Untel avec une sollicitation sexuelle malsaine.

La sollicitation sexuelle est souvent enrobée de chantage. L'adulte mal intentionné voudra monnayer tes attentions sexuelles. Exemple : « Je te donnerai ceci si tu fais cela… » ; « Si tu en parles, tu seras puni… »

Bien sûr, il n'y a pas de règles ni de portrait type d'un suspect. L'idée, c'est que tu saches que cela existe, que cela peut t'arriver, que tu saches comment réagir et quoi faire dans une situation semblable.

Tu vois, tout comme la lune, la sexualité a deux faces : une face lumineuse, libre et joyeuse dont nous avons parlé jusqu'à la page 52 et une face sombre, triste et malsaine que tu dois savoir reconnaître aussi[⚭].

⚭ Pour en savoir plus, consulte le livre *Te laisse pas faire. Les abus sexuels expliqués aux enfants,* de Jocelyne Robert (Les Éditions de l'Homme, 2000).

« Il ne faudrait pas non plus que tu te mettes à soupçonner tout le monde. **»**

Nous voici, toi et moi, au terme de ce voyage dans le continent de ta personnalité sexuelle.

J'ai tenté, dans ce livre, de t'accompagner dans la découverte de la sexualité et de ce qui se passe en toi, à ton âge. J'ai voulu poursuivre ce que nous avions amorcé dans mes autres livres, où il était aussi question de ton corps, de tes besoins et du «comment» de ta naissance. Nous avons fait, je l'espère, un pas de plus en bavardant sur les rôles et les stéréotypes sexuels, sur les phénomènes de ta puberté, des comportements sexuels de plaisir et de communication, du «pourquoi» de ta naissance et de ta responsabilité en matière de sexualité.

La connaissance de soi inclut la connaissance de sa sexualité. J'espère que cette collaboration qui s'est établie entre toi et moi t'aura permis de te sentir plus à l'aise dans toute ta réalité de fille ou de garçon.

Quant à moi, la préparation de ce livre m'a beaucoup plu. En y travaillant, je me suis sentie tout près de toi. Je me suis retrouvée à 10 et à 11 ans.

Alors, n'hésite pas à m'envoyer tes commentaires si tu en as envie. Je te laisse ma tendresse.

À la prochaine.

Jo

Adresse postale:

Jocelyne Robert
Les Éditions de l'Homme
955, rue Amherst
Montréal (Québec)
H2L 3K4

Adresse électronique:
jocelyne_robert@videotron.ca

LEXIQUE

Adolescence : Période transitoire entre l'enfance et l'âge adulte ; l'adolescence commence avec la puberté (vers 12 ans) et s'étend jusqu'à environ 18 ans.

Aisselle : Partie du corps que l'on aperçoit sous chaque bras.

Aréole : Cercle de peau plus foncée qui entoure le mamelon.

Caractères sexuels : Marques, signes et qualités qui identifient et distinguent filles et garçons.

Clitoris : Petit organe féminin de la taille d'un petit pois situé au haut de la vulve ; il a le plaisir pour unique fonction.

Condom : Enveloppe en latex dont on recouvre le pénis au moment de la pénétration pour éviter les grossesses et les maladies sexuellement transmissibles.

Contraception : Ensemble des moyens employés par la femme ou par l'homme pour empêcher la grossesse.

Éjaculation : Émission du sperme par le pénis.

Érection : Redressement, durcissement et gonflement du pénis sous l'effet de l'excitation sexuelle. Les mamelons et le clitoris peuvent aussi être dits « en érection ».

Excitation sexuelle : Émoi physique et/ou psychologique relié à la sexualité.

« Faire l'amour » : Expression couramment utilisée pour nommer la relation sexuelle. Autres synonymes de « faire l'amour » :
- rapport sexuel,
- union sexuelle,

. rencontre sexuelle,

. acte sexuel,

. coït.

Dans un contexte hétérosexuel, ces expressions sous-entendent généralement qu'il y a pénétration du pénis dans le vagin de la femme.

Génital : Qui a rapport aux organes génitaux, à la reproduction ou à la sexualité.

Grandes lèvres : Organes de protection de la vulve. Les deux grandes lèvres s'accolent l'une à l'autre pour former ce qu'on appelle communément la «fente»; à la puberté, des poils y apparaissent.

Grossesse : État d'une femme enceinte.

Homosexualité : Attirance sexuelle (incluant ou non des activités génitales) pour les personnes du même sexe.

Hormones : Produits chimiques de l'organisme. Les hormones sexuelles exercent une action sur les glandes et les organes génitaux du garçon et de la fille ainsi que sur l'intérêt sexuel.

Identité sexuelle : Sentiment d'être un garçon ou d'être une fille et d'appartenir au groupe des femmes ou au groupe des hommes.

Lubrification vaginale : Fonction selon laquelle le vagin et la vulve deviennent mouillés et glissants; manifestation de l'excitation sexuelle féminine.

Mamelon : Bout du sein.

Menstruation : Écoulement, par le vagin, de sang mêlé d'eau; la menstruation, aussi appelée règles, survient une fois par mois environ.

Orientation sexuelle :	Direction que prennent l'attirance, l'intérêt et le désir sexuels envers les gens de l'autre sexe (hétérosexualité) ou de son sexe (homosexualité).
Ovaires :	Deux glandes féminines qui produisent les ovules et les hormones sexuelles.
Ovules :	Cellules de reproduction comparables à des œufs minuscules fabriqués et contenus dans les ovaires de la femme.
Pénis :	Organe génital externe du garçon. Il a pour fonction d'expulser l'urine et, après la puberté, le sperme. Le pénis est un organe très sensible au plaisir.
Procréer :	Engendrer, produire un enfant.
Pubère :	Qui atteint l'âge de la puberté.
Puberté :	Moment qui marque le début de l'adolescence. Ensemble des modifications qui se produisent à cette époque ; apparition des caractères sexuels secondaires, capacité de procréer, première menstruation ou première éjaculation, éveil sexuel.
Prépuberté :	Période qui précède l'arrivée de la puberté (approximativement de 9 à 11 ans).
Pubis :	Région en forme de triangle située entre le bas-ventre et les aines.
Relation sexuelle :	Désigne l'union sexuelle (voir « Faire l'amour »).
Reproduction :	Fonction par laquelle hommes et femmes peuvent produire d'autres êtres humains.
Responsabilité sexuelle :	Le fait de connaître, d'accepter ses attitudes et ses comportements sexuels, et de s'en rendre maître.

Rôles sexuels :	Conduites et comportements attribués à l'un ou à l'autre sexe.
Scrotum :	Sac qui contient les deux testicules.
Sécrétion vaginale :	Substance plus ou moins liquide et blanchâtre, qui s'écoule par le vagin et humecte la vulve.
Séduction :	Attirance, charme ou façon de plaire ; être séduit, être charmé.
Serviette sanitaire ou serviette hygiénique :	Bande de papier ouaté et absorbant que les femmes utilisent durant leurs règles.
Sexisme :	Attitude discriminatoire et injuste à l'égard des personnes de l'un ou l'autre sexe.
Sexualité :	Ensemble des caractères propres à chaque sexe. La sexualité comprend les dimensions anatomique, affective, psychologique et culturelle de l'être humain sexuel.
Sollicitation sexuelle :	Action de s'approcher d'une personne dans le but de lui proposer des activités sexuelles génitales.
Spermatozoïdes :	Cellules de reproduction masculine contenues dans le sperme.
Sperme :	Liquide épais et blanchâtre, qui ressemble à du blanc d'œuf cru. Après la puberté, le sperme est émis par le pénis et contient des millions de spermatozoïdes.
Stéréotype sexuel :	Modèle de comportement masculin ou féminin qu'on imite mécaniquement parce qu'il est adopté par la majorité.

Tampon hygiénique :	Petite masse de gaze que la femme introduit dans le vagin pour absorber le sang menstruel.
Testicules :	Les deux glandes sexuelles de l'homme. De forme ovale, ils sont suspendus dans le scrotum. Le testicule gauche est légèrement plus bas que le droit. Les spermatozoïdes y sont fabriqués.
Union sexuelle :	Voir «Faire l'amour».
Vagin :	Conduit extensible qui s'étend de l'utérus à la vulve où il forme un orifice; permet l'écoulement du flux menstruel, la venue au monde du bébé, et la rencontre sexuelle avec l'homme.
Vulve :	Ensemble des organes génitaux externes de la femme.

La vulve comprend :
. les grandes lèvres,
. les petites lèvres,
. l'ouverture du vagin,
. l'ouverture de l'urètre,
. le clitoris.

Les muqueuses (peau) de la vulve sont semblables aux muqueuses de la bouche.

LE COIN DES PARENTS
ET DES ENSEIGNANTS

Ce livre d'éducation à la sexualité est destiné aux enfants prépubères, c'est-à-dire âgés de 9 à 11 ans environ.

Comme il constitue le complément du volume intitulé *Ma sexualité de 6 à 9 ans*, il aurait avantage à être abordé à la suite de celui-ci. Par exemple, les questions d'anatomie qui sont traitées dans le premier livre en fonction des distinctions physiologiques garçon-fille ne sont pas reprises spécifiquement ici. Elles sont plutôt effleurées en rapport avec les caractéristiques de l'éveil sexuel associé à la puberté. Dans le même esprit de continuité, des questions relatives à la sexualité de communication et de plaisir sont ici soulevées, alors que *Ma sexualité de 6 à 9 ans* clarifie la sexualité dans sa dimension de reproduction.

Les éléments qui se recoupent dans les deux ouvrages sont traités à partir d'un éclairage différent adapté au stade de l'enfant sur le plan du développement psychosexuel.

Bref, l'enfant devrait avoir le loisir, avant d'aborder les apprentissages présentés dans cet ouvrage, de s'initier à ceux du premier, sans tenir compte du groupe d'âge suggéré initialement.

Afin d'amener l'enfant à accepter l'idée de sa prochaine transformation corporelle et sexuelle, à se sentir à l'aise dans son cheminement sexuel spécifique et à trouver des réponses à ses interrogations face à la sexualité adulte, j'ai choisi de traiter les thèmes suivants :

Les rôles et les stéréotypes sexuels (chapitre 1) ;

La prépuberté et la puberté, implications physiologiques et psychologiques (chapitre 2) ;

Les notions de plaisir et de communication liées à l'expression sexuelle humaine (chapitre 3) ;

La responsabilité sexuelle (chapitre 4).

Parce que je souhaite intéresser activement l'enfant, ce livre comporte des exercices l'incitant à participer de façon créative à la démarche éducative.

La sexualité humaine étant dynamique et évolutive, je ne peux concevoir autrement qu'en termes d'accompagnement toute tentative d'éducation sexuelle. Il appartient à chacun et à chacune de découvrir sa sexualité et de s'épanouir avec et à travers elle, dans le respect de soi et d'autrui.

Si mon propos aidait l'enfant à faire un pas en ce sens, j'aurais atteint mon principal objectif.

Achevé d'imprimer au Canada
sur papier Quebecor Enviro 100 % recyclé
sur les presses de Quebecor World Saint-Romuald